6 这是我的书 It's MY BOOK

6级：300字

说到做到

作者：程以克（Vicki Cheng）
插图：陶红亮（Hongliang Tao）

北京语言大学出版社
BEIJING LANGUAGE AND CULTURE UNIVERSITY PRESS

PHOENIX TREE
PHOENIX TREE PUBLISHING INC.

识 读 生气 说 做 出门

句 型 可是……

字 数 291字

jǐ qiān nián qián zhōng guó yǒu yí gè jiào zēng zǐ de

几千年前，中国有一个叫曾子的

rén tā hěn yǒu xué wen yě hěn chéng shí

人，他很有学问，也很诚实。

yì tiān zēng zǐ de tài tai yào qù wài miàn mǎi dōng
一天，曾子的太太要去外面买东
xi ér zi yě yào gēn zhe qù zēng zǐ de tài tai
西，儿子也要跟着去。曾子的太太
duì ér zi shuō hǎo hái zi nǐ zì jǐ zài jiā
对儿子说：“好孩子，你自己在家
li wán ba wǒ yí huìr jiù huí lai huí lai hòu
里玩吧，我一会儿就回来。回来后，
mā ma shā zhū gěi nǐ chī
妈妈杀猪给你吃！”

zēng zǐ de ér zi hěn ài chī zhū ròu tīng mā ma
曾子的儿子很爱吃猪肉，听妈妈
shuō yào shā zhū gěi tā chī shí fēn gāo xìng jiù zì
说要杀猪给他吃，十分高兴，就自
jǐ zài jiā li wán le
己在家里玩了。

guò le yí huìr zēng zǐ de tài tai cóng wài miàn

过了一会儿，曾子的太太从外面

huí dào jiā kàn dào zēng zǐ zhèng zài shā zhū dà chī

回到家，看到曾子正在杀猪，大吃

yì jīng nǐ zài gàn shén me jiā li jiù zhè me

一惊：“你在干什么？家里就这么

jǐ tóu zhū yào liú dào guò nián cái néng chī a

几头猪，要留到过年才能吃啊！”

zēng zǐ shuō kě shì nǐ chū mén qián duì ér zi
曾子说：“可是，你出门前对儿子
shuō huí lai yǐ hòu yào shā zhū gěi tā chī de duì
说，回来以后要杀猪给他吃的，对
ba zēng zǐ de tài tai shēng qì le nà zhǐ
吧？”曾子的太太生气了：“那只
shì shuō zhe wán de nǎ li zhēn de yào shā zhū
是说着玩的，哪里真的要杀猪？”

zēng zǐ shuō bà ba mā ma shuō de huà hái zi men
曾子说："爸爸妈妈说的话，孩子们
dōu rèn wéi shì zhēn de zěn me zhǐ shì shuō zhe wán ne
都认为是真的，怎么只是说着玩呢？
shuō dào jiù yào zuò dào yào bù rán hái zi yǐ hòu zěn
说到就要做到！要不然，孩子以后怎
me néng xiāng xìn bà ba mā ma shuō de huà ne
么能相信爸爸妈妈说的话呢？"

cóng gǔ dào jīn hěn duō bà ba mā ma tīng le zhè
从古到今，很多爸爸妈妈听了这

ge gù shi dōu míng bai le shuō dào zuò dào de
个故事，都明白了“说到做到”的

dào lǐ
道理。

1 几千年前，中国有一个叫曾子的人，他很有学问，也很诚实。

2 一天，曾子的太太要去外面买东西，儿子也要跟着去。曾子的太太对儿子说：“好孩子，你自己在家里玩吧，我一会儿就回来。回来后，妈妈杀猪给你吃！”

3 曾子的儿子很爱吃猪肉，听妈妈说要杀猪给他吃，十分高兴，就自己在家里玩了。

4 过了一会儿，曾子的太太从外面回到家，看到曾子正在杀猪，大吃一惊：“你在干什么？家里就这么几头猪，要留到过年才能吃啊！”

5 曾子说：“可是，你出门前对儿子说，回来以后要杀猪给他吃的，对吧？”曾子的太太生气了：“那只是说着玩的，哪里真的要杀猪？”

6 曾子说：“爸爸妈妈说的话，孩子们都认为是真的，怎么只是说着玩呢？说到就要做到！要不然，孩子以后怎么能相信爸爸妈妈说的话呢？”

7 从古到今，很多爸爸妈妈听了这个故事，都明白了“说到做到”的道理。

看图讲故事